書言故事大全

國家圖書館藏·蒙學善本

鳳凰出版社

第十二册

善言姑重大全

第十二冊

國家圖書館藏·蒙學善本

鳳凰出版社

席上之珍

青州從事

廬陵　胡繼宗　集
安成　陳玩直　解

○酒類　附醉飲

黄封

御賜酒曰黄封，輦下以黄封酒為貴。輦，天子之下，古稱京師曰輦下。黄封，御酒，以黄羅帕封之，故曰黄封，蓋重內醞也。坡詩：上樽白日鴻黄封。見後。（上樽詳）

魯酒

言薄酒曰魯酒。魯國之酒味嘗薄，故今人以薄酒送人常謙辭曰魯酒也。（慎語　許慎字叔重）莊子：楚會諸侯，魯趙俱獻酒吏，趙厚酒奏之易，楚王以怒，趙乃以魯薄酒易，趙酒薄故圍邯鄲，而邯鄲圍。邯鄲音寒，趙郡城也。淮南子：魯酒薄。

書言故事　卷之十二　一

青州從事

好酒曰青州從事。世說：桓溫有主簿，善別酒。好者謂青州從事，青州有齊郡。飲好酒直至腹臍，臍與齊同音，惡者謂平原督郵，平原有鬲縣，言至鬲上住也。謂鬲，鬲上住也。

碧筩酒

之上飲不下也。筩音同。魏鄭公名慈，魏齊王正始年間人。三伏之際，夏之三伏。

事言故事大全卷之十二

暑
時率賓僚避暑使君林
也以簪刺柄與藥通屈莖輪囷如象鼻焉

也持吸之名碧筩酒

【茅柴】 惡酒曰茅柴（韓子苓詩）（宋時人韓子名駒）　三年逐客卧
江皋為官者遭逐而眠故曰　自與田工壓小槽飲

慣茅柴謂庵苦硬酒之苦而不知火易過不知如蜜有

香醪　復有甜如蜜之香醪

【中聖】 中酒曰中聖（魏徐邈）私飲沉醉（徐邈字景山為尚書郎時禁酒）
故私飲而醉　趙達問以曹事邈曰中聖人達白太祖太

祖怒鮮于輔曰醉客謂清者為聖人濁者為賢人

邈醉言耳得免後上問邈復中聖人否曰臣

不能自懲（音澄懲戒也）時復一中之帝大笑

【玉山頹】 言醉云玉山頹（晉嵇康字叔夜山濤言叔
夜為人巖巖若孤松之獨立其醉也如玉山之將頹

【醉鄉】 址夢瑣言（唐東皋子王績字元功東皋子有
土康廟碑醉鄉記備言酒德記（王績降州人作醉鄉記授秘書正字待詔

酒有詩云知道醉鄉無戶稅任他荒却下冊田
門下省官給酒一○廣陵人劉盧白擢進士第嗜
斗稱斗酒李士

北海樽 孔融為北海相賓客盈門常嘆曰坐上客常

滿樽中酒不空吾無憂矣〔此卽與前第三卷賓王類坐上客常滿之下通看〕

高陽 日酒侶曰高陽酒徒〔晉〕山簡鎮襄陽優游卒歲

惟酒是躭諸習氏荊土豪族有佳園池〔習氏乃是荊地豪族〕

而有佳哉簡出遊多之池上置酒輒〔折音醉名曰高〕

好園池

陽池兒童歌曰山翁出河許往至高陽池日夕倒

載歸載於車中〔倒載引倒酩酊無所知時能騎馬倒著〕

白接籬〔接籬幘也江東人取白鷺長翰惟問蒨強何如〕

毛以為捷離名之曰白鷺纓

書言故事〔卷之十二〕　三

强何如并州兒〔蒨並州人。山簡愛將也故呼為并州兒言簡舉鞭惟問蒨強何如〕

并州兒〔得寵也〕

上樽 謝人携酒辱賜上樽〔平當傳〕稻米一斗。得酒一

斗為上樽。稷米一斗得酒一斗為中樽。粟米一斗。

得酒一斗為下樽

流霞 天仙酒名流霞〔抱朴子〕碩曼鄉言到天上。仙人

以流霞一盃飲之

解醒〔音星〕〔晉〕劉伶字伯倫甚渴求酒於妻妻泣諫曰

君飲太過非攝生之道伶曰善當祝神誓斷矣可

酒為天祿非聖王之尊奉俎豆薦宗廟燕賓

客何以通神明和上下乎漢書言酒百藥之長

故酒一盞稱以

天祿酒名亦曰歡伯言酒能令人歡故曰歡伯

米一斗黍米一斗

粟米一斗稻米一斗秫米一斗

懷入穀酒香甕米一斗黍米一斗

白發酒

投何以杜氏言酒

書言酒者

白髮酒

嫩酒

暘谷兒童載山歌扣盤為樂生土瘠

酒酣耳熱曰高陽酒徒

白酒曰高陽酒徒晉山簡鎮襄陽常辛

苦酒中酒不空吾無憂矣

晉武帝云山東兵豈敢當田舍兒

直至酒酣舌放出

具酒肉妻從之伶跪祝曰。天生劉伶。以酒為名一

飲一石五斗解醒。酒病也。言飲五斗。婦人之言。

慎勿可聽引酒御肉陶然復醒

九醞

美酒九醞（西京雜記）宗廟八月飲酎用九醞（音宙）

太牢酎醇也。一日以正月作酒八月成名曰

酎一日九酎一日醇（音純酎）

家釀

蒙賜家釀（晉）何充字次道能飲酒雅為劉惔（音談）

所貴云見次道飲令人欲傾家釀言其溫克

松醪竹葉香醪葡萄真珠紅

（又）崖蜜松花熟（崖蜜松花酒熟 如 山杯竹葉清（古詩竹

葉清（杜詩松醪酒熟旁看醉

藥清香好何妨飲數杯（杜山亭宴集清秋多宴樂。

終日困香醪（李白襄陽歌）遙看漢水鴨頭綠恰似

葡萄初潑醅（醅酒未漉也。灩灩也。）（將進酒）琉璃鐘琥珀

雪液香泉玉色醪

濃小槽酒滴真珠紅（東坡謝黃寔送酥酒）關右土酥黃

似酒楊州雪波却如酥（送楊季黙莫辭白首瀉香

泉。已覺扁舟掠新渡（讀孟郊詩）不如且置之飲我

玉色醪讀而飲我置郊不如不置詩而不

靈家香菜生酒趣

林檎甘蔗香醞蒲萄真崇等

天醞

火鷂

軟飽

伏蒙軟飽相邀（坡詩）三盃軟飽後、一枕黑甜餘

見前第七
卷夢寐類

○茶類

瑞草魁 **龍鳳團**

杜牧山茶詩閩寶東南秀茶稱瑞草魁

茶之品莫貴於龍鳳團

始造小片龍茶其品絕精謂之小龍團尼二十餘

八餅重一斤慶曆間宗年号蔡君謨為福建運使

餅重一斤真金一兩每南郊致齋南郊蔡天地日以

為圓餅上印龍鳳紋供御者以金裝龍鳳

齋之內慎其

心故曰致齋中書樞密各賜一餅宮人徃徃綴金

書言故事〔卷之十二〕　五

其上貴重如此

月團（盧仝謝孟諫議惠茶歌）開緘宛見諫議面首閱

月團三百片詳見前第二卷訪臨　類見諫議議底之下

紫雲堆雀舌龍團鳳髓（坡詞）已過幾番雨前夜一聲

雷槍旗爭戰建溪春色占先魁採取枝頭雀舌

帶露和烟搗碎結就紫雲堆輕動黃金碾飛起綠

塵埃老龍團真鳳髓點將來兔毫盞裏雲切所治時

滋味舌頭回喚醒青州從事見前酒類戰退睡

魔百萬夢不到陽臺兩腋清風起我欲上蓬萊

龍焙貢新
龍焙試新
貢團
試團
○茶餅

八餅重一斤
八餅重一斤

真工貴重也
宣和庚子歲
大觀二十一
書言茶事者

宣和北苑貢茶錄

搶旗露英露牙筍乳〔歐詩〕作 陽修 共約試春芽搶旗

幾時綠〔顧渚茶記〕團黃有一搶兩旗之號言一芽

有二葉也〔韋處厚茶詩〕令合露紫英肥〔歌〕公嘗新茶

其餘品第亦奇絕愈小愈精皆露芽〔坡詩〕覽教來

烹石泉紫筍發青乳（茶之佳品）

詩人蛻骨（蛻音退蛻化）謝人惠茶曰慙非詩人已覺蛻凡骨

矣也〔山谷詩〕建溪有靈草能蛻詩人骨

當酒代酒從事（當從並去聲）煎茶欽客曰當酒代酒〔吳韋〕

曜飲不過三升孫皓每宴以茶賜曜當酒寓寵渥

書言故事〔卷之十二〕　六

也謝宗論茶曰此冊丘之仙茶勝烏程之御舞御舞酒名

吳吳縣名 不止味同露旨味如露之美首閱碧澗明

月之團初也茶餅如月故曰明月 醉向霜華言酒醒可

酪奴（酪洛音） 酪蒼頭便應平代酒從事（蒼頭茶也，酪奴也）

可以茶而代酒也 送人茶曰謹以酪奴為獻彭城王勰

王肅曰君棄齊魯大邦而愛邾莒（莒音擧）小國明日讀

為設邾莒之殮孫亦有酪奴（殮水和飯也）因此號蒼頭

酪奴牛羊也，邾莒謂魚也 言與酪粥作奴，謂

○饌食類

治具 招實客諛言初無治具（漢灌夫傳）曰將軍幸喜過魏其將軍田蚡也為丞相欲以奪封魏其侯魏其夫妻治具酒食也 ○此與前第三卷訪臨類臨先之下通看

折俎 折食曰折俎（左）成公十二年成享晉郤氣至音乞至晉楚既好故晉使郤至如楚修聘于是楚共郤至曰諸侯相朝王為郤至設享燕之礼云諸侯相朝之時諸侯當天子間缺之時亨燕之礼有亨燕之礼於是乎有亨燕之禮有亨則有相朝以通私好於是乎有体薦儿而不飲肴乾而不食所以教礼有享以訓共儉而不飲肴乾而不食所以示慈惠燕礼同恭儉共食所以示慈愛恩惠也訓恭儉宴以示慈惠共食所以示慈愛恩惠也約也

五侯鯖 （漢）樓護傳會五侯各得其歡心意五侯淺成帝母舅王譚王根王立王商王逢同日封侯（西京雜記）五侯不相往来蝸事之傳會各得其歡心競致奇膳護合以為鯖甚美鯖前和之名也護以而慬心故以世稱五侯鯖焉鯖魚致其膳會五侯鯖為甚美世稱五侯鯖焉

湯餅不托 （歐陽公著）歸內錄湯餅唐人謂之不托今世俗謂之餺飥音博飥青箱雜記湯餅濕麵也凡以麵為食煮之皆謂之湯餅

饅頭 （晉）束皙餅賦有饅頭薄持起溲牢九之號惟饅頭至今名存而薄持起溲牢九莫曉其何物（群）

註）婦田錄云簿持起。謝郎今煎夾子溲牢九饅頭之屬

炊餅十字瓊肌 （晋）何魯炊餅上不拆十字則不食坡

詩吹裂十字瓊肌香

包盧 荷包曰包盧王襄曰新鯉包盧美

淮南術豆腐（晦庵次劉秀野蔬食豆腐韻）種豆豆苗
稀力竭心已腐 言竭盡其力已腐而心已腐早知淮南術始于淮
南王安。標題云淮
南子手制成豆腐也

安坐獲泉布
行曰泉，錢也。藏曰布，一日布
泉。安坐免費力也。以其布于
帶也。○言若旱知有淮南之術則安
坐而得泉布也
○泉布皆錢也以其流行如泉故曰泉。
民間，故曰布

○米類

長腰 米曰長腰。江南人有長腰粳米縮項鯿魚之諺
鯿魚名縮項其身局關（坡詩攜來）縮項
縮買得蟹團齊諺俗語也。

白粲 白米曰白粲（漢惠帝紀）鬼薪白粲取新宗廟為
鬼薪犯死罪之人使之取
薪給宗廟故曰鬼薪使婦人坐
擇米使正白為白粲犯死
罪未之正者不缺薪顥立端正也
罪者發其取薪擇米令之白粲
三年而後秋成白粲謂以菰米令成白粲而
次句上句言白粲米取秋菰米
欲也。（杜詩精鑒傳白粲謂治）
（坡詩）紅粒執樂三千指

白粲連檣十萬艘（音檣）（檣帆柱也）艘（船之總名也）

卷二十二

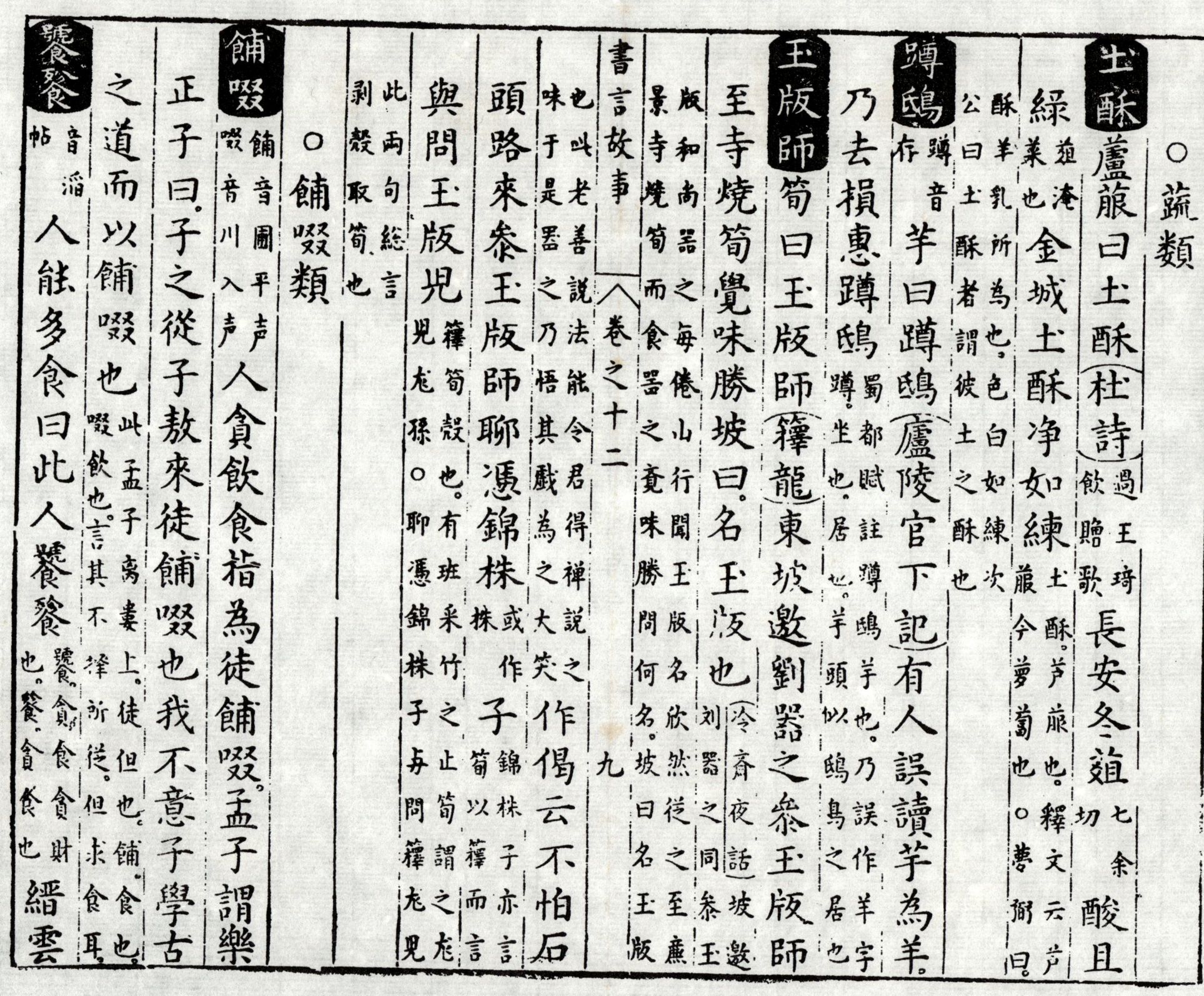

○蔬類

土酥

盧龍曰土酥〔杜詩〕過王琦飲贈歌　長安冬菹七餘酸且

綠菜也○金城土酥凈如練

酥羊乳所為也。色白如練次　公曰土酥酥者謂彼土之酥也

蹲鴟

蹲音

芋曰蹲鴟〔盧陵官下記〕有人誤讀芋為羊。

乃去損惠蹲鴟

蜀都賦註蹲鴟芋也。坐也居也。芋頭似鴟鳥之居也

玉版師

筍曰玉版師〔筇龍〕東坡邀劉器之參玉版師

至寺燒筍覺味勝坡曰。名玉版也〔冷齋夜話〕坡邀

版和尚名之每倦山行聞玉版師名欣然從之至廉

景寺燒筍而食之竟味勝問何名。坡曰名玉版

也叫老善說法能令君得禪說之乃悟其大笑。作偈云不怕石

味于是戲為之大笑。作偈云不怕石

書言故事〔卷之十二〕　九

餔餟

餔音圃平聲

餟音川入聲人貪飲食指為徒餔餟孟子謂樂

○餔餟類

剝殼取筍也

此兩句總言

與問玉版兒　兒龍孫。

頭路來參玉版師聊憑錦株或作　子　筍以筇株

正子曰子之從子敖來徒餔餟也我不意子學古

之道而以餔餟也

饕餮

音滔

人能多食曰此人饕餮

帖

縉云氏有不才子 〔晋云氏黄帝時官名 不才子〕 貪于飲
食冒 〔音 即三苗舜佐尭殺之于三危〕 貪于飲
于貨賄 〔胃 貪〕 侵歁崇修不可盈厭事不得
盈滿貪求 〔而无厭〕 天下之民謂之饕餮 〔已上数〕

食指動
有飲食之兆曰食指動 〔染指〕 嘗得其味曰已

嘗染指〔左〕 宣公四年楚人獻黿 〔音元〕 於鄭靈公 〔黿似鼈而大靈公穆〕
夷也太子公即公子宋也子家歸生也二公子
夫将解黿見人所獻之黿 二公子相視而笑 〔以為指〕
子治庖而将解黿必嘗異味品味之食及入公所至宰
之食指動第二指忽然自動已他日我如此在前
公子宋與子家将見公子宋見公子宋家将見公子
之日也言我每食指動時 必嘗異味 得竒異
必嘗異味品味之食及入公所至宰
夫将解黿 人所獻之黿將解 二公子相視
而笑 以為指
染指於鼎 染指於所烹黿之鼎嘗
召子公而弗與也 而不与之
食大夫黿賜諸大夫 黿熱而分
食欲使指動而嘗其味遂出
動而不驗指 子公怒與之黿
驗也公問之而笑 子家以告
動果也

欲炙之色
之而出 〔炙音〕 見物欲得曰有欲炙之色 〔晋 顧榮與
同僚飲見行炙者有欲炙之色 始燔肉為炙也燔肉
者以柴燒者以己炙與啗 〔炙與啗音淡之同坐悉笑榮
燒肉也 榮輟 〔音拙〕 以己炙與啗之同坐悉笑榮
曰豈有終日執之而不知其味後趙王倫篡位 〔晋西
惠帝時倫為征西大将軍而篡位餘詳見史鑑榮在難聲去一人救之乃愛

榮炙人也

食而饐

炙人也

大嚼（音鵲）指人好饕（音滔）曰大嚼（文選）曹子建與吳季道書曰作重過屠門而大嚼雖不得肉貴且快意

不速（亦聲去）人不與焉召而自來曰作不速（易）需卦（水天上六）

程子曰需序卦蒙者物之釋也蒙也物之釋不可不養也故受之以需需者飲食之道也

自下而上入於穴有不速之客三人來敬之終吉（第六爻）

程子曰上六居險之終終則變矣在需之極久而得矣陰止于六乃安其處故為入于穴穴所安也安而既止後之三陽非在下之物必至也不速之客三人謂下之三陽需時而進者也既得其時則進者也需極矣故皆上進不速之而自來也上六既得其安處群剛之來至誠盡敬以待之雖甚剛暴豈有侵陵之理故終吉也

飯後鍾後期而至曰飯後鍾（唐）王播客揚州木蘭院

客居也木蘭院一作石塔院王播未遇時客居木蘭院僧厭之乃飯后擊鍾播來則後時矣故飯后擊鍾播至則飯罷矣僧留詩云上堂已了各西東慚愧闍黎（音黎）飯後鍾之播後題云二十年前塵土面如今始得碧紗籠僧首後二紀來鎮是邦為一紀向題字已碧紗籠也

嗟來飲（去聲）食（似音）人不敬曰嗟來之食（記）（下篇齊大饑年穀不熟曰飢黔敖為食於路荒之災為飲食於道路以）

卷之二十二

二十一

待餓者而食之〔食与之食也〕有餓者蒙袂輯屨〔蒙袂掩面〕不欲見人也歁歁屢力憊〔蒙上目〕不能着屨飲其足行之䫏也貿貿〔音茂〕然來不明貌〔貿音目〕○若有所利而不交〔左右手也〕黔敖左奉食右執飲曰嗟來食爾而与之也〔奉食奉飲也〕黔敖左手奉食右手揚其目而視之〔餓者之視于敖目曰予〕唯不食〔字如此〕嗟來之食〔故也嗟來不敬〕以至於斯也〔以致餓也〕從而謝焉〔而謝餓者〕終不食而死〔寧餓而死終不受也〕

○事物譬類

漢大驚

倉卒客倉卒主人〔卒音忖入声〕詰陳廣漢設食甚薄廣漢曰有倉卒客無倉卒主人。○元禮以筯筈曰俎上蒸豚厨中荔枝何不設廣〔西京記曹元禮善笑術〕

口平雌黃〔晋王衍善玄言義理〕〔玄出也〕有所未安隨即更改〔音庚〕世號口中雌黃〔雌雄黃黃〕古人寫字有誤以雌黃塗正之〔王衍就口中改變不待于終上改也〕

皮裏陽秋〔晋褚裒字季野〕桓彝曰季野皮裏陽秋〔陽春秋也晋諱春改言陽〕言其外無藏否〔否音鄙○誡而不美刺也〕而内有褒眨〔胃中襄眨曰皮裏陽秋〕言胃中有襄眨也謝安云裒雖不言而四時之氣備矣〔言胃中有四時氣備胃中有秋肅穀萬物喻眨也〕

書言故事〈卷八十二〉 十二

懲羹吹齏因噎廢食 言過於懲創戒也〔懲創〕懲創也〔唐傳弈言〕唐

承亂世當有變更懲沸羹者吹冷齏羹美所害雖曾遭沸熱之羹亦吹之〔傷弓之鳥驚曲木〕恐其熱也 鳥被弓之傷見曲木疑是弓以故驚飛曲木恐亦吹之

陸贄奏議昔人有因噎而廢食〔至音奏議昔人有因噎而廢食〕自此食廢食恐復懼溺而自沉者就水恐溺死遂喉 自此食廢食於喉

汝不能順天事親以行二義而但欲求速化之術

借聽於聾求道於盲 求道於盲謙辭請教用〔韓公荅陳生書〕韓公荅陳生書 下

足下求速化之術〔速化急化也此盖陳生以書言速變化之術〕速化急化也此盖陳生以書言速變化之術

所謂借聽於聾求道于盲未見其得者也借耳聲之人以

乃以訪愈〔韓公名愈言顯榮者在上位幾人足是〕下不能求于其人何乃訪于愈耶于愈即借耳聲之人以

書言故事 〔卷之十二〕

十三

唇亡齒寒 〔輔車相依〕言勢力有相關〔左〕僖公二年虞師晉師滅夏陽 僖公五年晉侯復假

道於虞以伐虢〔下陽在虞虢之間又假道以伐虢以為表裏〕下陽在虞虢之間又假道以伐虢以為表裏 宮之

奇諫曰虢虞之表也〔奇諫曰虢虞之表也此俗諺語有此二句也車牙車相須也言輔須也車相〕諺所謂

輔車相依唇亡齒寒也〔輔頰輔須也車牙車相依言二句也車牙車相須輔與車相依也唇亡之齒寒如口之齒也虢既〕

道於虞以伐虢果如之謂也〔亡虞必與虢同滅虞果如之奇言〕亡虞必與虢同滅虞果如之奇言

〔從唇寒也○晉既滅虢還師果襲滅虞果如之奇言〕

明珠暗投

暗投（鄒陽書）明月之珠夜光之璧以投於道莫不按劍相顧眄者無因而至前也

人望其光莫知何物反以為惟識者明珠暗投故按劍相顧不敢至其前也

墮甑不顧

（後漢）孟敏荷甑墮地不顧而去郭林宗問其意曰甑已破矣視之何益林宗異之

荷負也甑炊飯器也甑已破棄不問曰墮一甑不顧於是林宗勸敏令後卒成名

覆車之戒

（賈誼策）前車覆後車戒也鑒前代事曰覆車之戒

覆倒也車音居覆音福車覆後車戒也譬喻秦世所以亟絕者其轍迹可見前之迹乃覆車之迹可見譬喻秦無道至于急亡於今可見當此之際文帝與秦相去止三十餘年然而不避是後車又將覆也

書言故事〔卷之十二〕十四

好竽鼓瑟

（韓公荅陳商書）齊王好竽竽小者曰和〔釋注〕簫管中金蝶有求仕於齊者操瑟而往立王之門三年不得入客曰王好竽而子鼓瑟瑟雖工如王不好何

說文竽管三十六簧笙大者曰竽治天下則當政若不改子將亡矣

而不避是後車又將覆也

膠柱鼓瑟

（史）趙括代廉頗藺相如曰王以名使括若膠柱鼓瑟拘執不通曰膠柱鼓瑟

韓公荅書蓋矯陳商為文不合時人之意亦如鼓瑟者不合于齊宣王也以名使以名而無能也若膠柱

而鼓瑟

柱瑟上鴈足紋之急緩繫馬故調紋者必
移鴈足方能使吉和若膠柱而鼓瑟聲安
得和此言王以名不問其和也○此可與前
不問其和也○此可與前第二卷子孫類讀父
之下〔楊子〕篇

或曰以往聖人之法治將來譬猶膠柱
治天下無為而化蓋為民淳也將來之
民多于狡猾向乃執以古法而治之
先知
而鼓瑟

大市裏賣平天冠

（宋朝）廖融潘若冲更唱迭和
者更互言也廖為首成詩潘若之潘為首詩家之
成詩廖則和之是所謂更唱迭和者也
廖擎敵勍唱和雅中音律詩家莫能敵
宗以詞賦策論取士融生徒引去
多有生徒太
引去猶常云
擒出去是也融

日豈知今日之詩道一似大市裏賣平天冠並無
人問遂延所以覆晃上重旒者前曰遂延後曰延延（記）
平天冠天子之見前後各十二旒前曰遂延後曰延延
王藻篇却天地宗廟明堂則冠之蔡邑曰都人不
識謂之平天冠〔釋注〕遂音深也延音上覆也王
晃晃前後垂旒以藻雜來綴之貫
王玉徐也以藻穿玉以王飾藻故曰玉藻

依樣畫葫蘆

蹈襲舊本曰依樣畫葫蘆（宋）陶穀久在
詞禁太祖曰頗聞翰林皆檢舊本撰詞語世俗謂
之依樣畫葫蘆後穀作詩書玉堂壁曰官職須
生處有才能不管用時無堪笑翰林陶學士年年
依樣畫葫蘆帝薄其怨望決不用

蘭亭真本 王羲之親筆蘭亭用聖 唐褚遂良叙禁中

大令書五卷獻之也　其最為後世重者三蘭亭樂

紙寫者最得意筆也

毅論及籍沒老嫗投之竈中香聞數日○出法書

苑興黃庭也○黑紙白字寫黃庭經神仙

遺義之各請書黃庭經名王字黃庭經

七世孫智永師智永傳弟子辨才辨才本貞觀中

歸禁中　貞觀年號唐太宗遣侍御突肯微

情意甚客一日宛轉訪見在肖翼上存否辨曰可得見

才言徵之傳數世至予寶藏見在肖翼曰可至齒室

予辨才曰可至閣時于梁上取出引肖翼至齒室

見之一日贓辨才遠出遂取真本由是入禁中

書言故事〈卷之十二〉 十六

曲突徙薪

突徙薪

防患未然曲突徙薪〈前漢〉〈霍光傳〉初茂陵

徐福上書言抑制霍光家奢侈〈宣帝地節四年霍氏謀反於是上書〉

抑制不報霍光雖已卒宣帝以先患臣謀反後霍氏果

霍氏果有人上書引下文曲突

誅滅為譬喻遂代伏誅夷其族

人為徐福上書曰客有見主人竈直突

告者皆封列侯告者皆〈突竈上旁煙囪也〉

有積薪請更曲突徙薪不然有火患主人不應

俄果失火鄰里共救得息殺牛置酒謝灼爛

者灼燒也救火者遭而不錄言曲突徙薪無恩澤焦頭爛額為上客耶

曰曲突徙薪無恩澤焦頭爛額為上客耶使聽客向人謂主人

之言不費牛酒終无火患　全論功而賞勸徙薪者
則无恩救火者焦頭爛額反為上客宣帝賜徐福
帛以
為郎

入室操戈

以夫子之道反害夫子入室之道（鄭玄傳）

任成何躰好公羊學弟子作春秋著公羊墨守
墨守言公羊義理深遠不可攻也如作春秋
難如墨翟之守城不可攻也左氏膏肓謂
之左氏傳何躰又好左氏春秋自謂其
膏肓之義詳見一如膏肓之疾難療故謂
著之是人莫能攻左氏膏肓自謂其疾難療
五卷問疾類膏肓之下第一
疾療疾與上文
休又好谷梁學著谷梁廢疾何
五卷廢疾謂谷梁赤為之赤為之傳何
膏肓廢疾同意鄭玄乃發墨守
不可難為墨守義深遠其
曰發墨守下文針膏肓起廢疾皆傚此故針膏肓起

廢疾休見而歎曰康成字鄭玄入吾室操戈而伐
我乎

作舍道傍

惑於眾言曰作舍道傍漢章帝欲定禮樂
班周曰諸儒多能說禮宜廣招集帝曰諺云語作
舍道傍三年不成論各人執一己之見議難成以故難成會禮之家名
為聚訟各執一理筆論不已言昔竟作大章一變
卷古人愉類一變　上命曹襃一人○此与前第二
足矣之下通看

三十國三公

主事不一日一國三公（左安筆初晋侯歃歃公
使士為　　變為二公子築蒲與屈為重耳築蒲為婁
　　　　　　　　　築屋事在僖二公

二十
八年不慎雜而築之不堅實夷吾訴其
不謹慎置薪于土

獻公使讓之士蒍既覺責稽首

公使讓之 士蒍對曰臣聞之無戎
而城讎必保焉寇戎之來又誰守之
今無戎而城終焉為寇雖讎戎於是士蒍退而賦曰
慎焉之堅築之所保守于天何必謹

狐裘尨茸 莫江切○以狐裘為裘者貴者之裘盖引
此以發一國三公也○蒲屈二公子並立為三公公與吾誰適

一國三公 的音從言城不堅則為公子所訴之則不知所適從
音城不堅則為公子所訴之不忠無以事君故不知所適從

原田之謀〈左〉
楚戰楚箕所舍之處其背有丘陵阻隘故聽其歌誦之言每每
晉侯聽輿人之誦曰晉文公將與
原田每每舍其舊而新其謀
高平曰原以喻晉君美盛若原田之草每々然

僖公二十八年晉侯

言晉侯可以謀立新功不必念楚惠此于犯勉
晉侯与楚戰言我過楚時受楚之恩樂真
子犯曰漢陽之田同姓同楚盡滅之思其贈送之
小惡而忘其大耻不如戰也遂
與之約詰朝將見明日也
相見以決戰云楚師大敗

布鼓過雷門〈漢〉 王尊曰毋 無音持布鼓過雷門 布鼓
雷門會稽城門有大鼓越擊此鼓聲聞洛陽越字
或曰經過也過者擊此鼓聲遠聞於洛陽布鼓之義
聲及雷門大鼓之聲故布鼓不可特而過之此
門雖於言大意相似孟子所謂過于聖人之

〇文物類

筆

○文賦聯

魏都賦闕

風賦之鋪

毛穎　管城子　中書君

筆
毛穎筆　毛穎中山人蒙恬載

以歸始皇封諸管城
諸語助字號管城子能作筆之
封管城以其

有管蓋音
累品
拜中書令。呼為中書君　筆為書寫亦以
兩意也

毛錐子

五代
長鑱大刉若毛錐子安足用哉
梁唐晉漢周
史弘肇筆曰安朝廷定禍亂直須

銀管

蘭臺發源
言銀管自發源
慕容郁贈韓韓定之詩韓醉
云盛德好將銀管述麗詩堪付雪兒歌
李蓉賓朋
奇章奇麗
者付雪兒歌之
郁問韓銀管事韓曰昔梁元帝為湘東王
管書之德行　精粹者銀管書之文章華麗者班
時錄忠臣義士文章美者筆有三品忠孝全者金

竹管書之

硯

郎墨侯　石虛中　石鄉侯

文嵩石虛中傳南越人姓
以磨墨以水兩意也
為侯名兩意也　○薛

右名虛中字居默拜郎墨侯
櫻為硯封石鄉侯

馬肝

漢武元鼎五年郊
音支國貢馬肝硯百歲以水
銀養為金函金泥封之其國人長四尺惟餌馬肝

石半青黑如馬肝碎之和丸轉卅吞一粒彌年不

飢以拭白髮皆黑帝甞坐甘泉殿羣臣有髮白者

以拭之應手皆黑時公卿曰不顧作方伯惟頤拭

肝石此石可作硯

盛硯滴

紙

玉蟾蜍（西京雜記）廣川王去疾發表益〔烏浪 家陵王 去疾 切〕

作晋靈公〔名素益或〕

得玉蟾蜍一枚腹空容五合水王取以

褚先生　紙曰褚先生（毛穎傳）毛穎與會稽褚先生友

善〔楮先生紙也二人友善此〕筆書紙墨盖兩意也後之友善傚此

剡藤玉版繭紙　剡溪出藤為紙絕妙（唐舒元興有悲

剡溪古藤文（坡詩）溪石琢馬肝剡藤開玉版〔城都浣花〕

剡溪造紙光滑以玉版為名

王羲之作蘭亭記乘興而書用蠶繭

紙〔○建初中帝年號後漢章〕見

日本使興能獻萬物

○晉宋間有紙

使使臣也與能善書紙似繭而澤　日本國名

長丈餘就舡抄世謂繭紙

陳玄（毛穎傳）毛穎與絳人陳〔晉邑人陳〕

墨　　友善

客鄉 【揚雄長楊賦】藉子墨客 以為諷（詳見前第十 卷書翰類子）

龍香劑黑松使者龍賓 【陶家難餘事】 考當考 【唐玄宗】（唯一作）

御按上墨曰龍香劑一日墨上有小道士如蠅行

上叱之呼萬歲奏曰臣墨之精黑松使之者其名

為黑松世人有文章者皆有龍賓十二（龍賓或曰 小道士也。自言 神也。）

士言有文章者常有十二神（玄宗以龍文 神也。）

二龍賓之神以隨之

上神之者有神隨 乃以

墨分賜掌文官

書言故事 卷之十二 廿

○器物類

○扇

仁風 扇曰仁風 【晋】袁山松為東陽郡。謝安取一扇以
贈行。山松荅曰輒當奉揚仁風慰彼黎庶也。（慰問也言專當奉揚彼之仁風勞問彼之黎民蓋欲以仁德而化也）

使面扇 扇曰使面 【張敬傳】以使面拊焉（拊輕擊也。若今沙弥所持竹篦 釋注沙弥僧也。篦所治切扇也自關而東謂之篦）

陳蕃榻 漢陳蕃為豫章（江西）太守。惟徐稚來設一榻去則懸之（此与前第三卷延接床下通看類下榻）

一榻之外〔宋〕太祖嘗冬夜大雪幸趙普家普從（七恭切）容問曰夜久寒甚陛下何以出上曰吾睡不能（張入声）一榻之外皆他人物也

衾

布衾如鐵〔杜甫茅屋為秋風所破歌〕布衾多年冷似鐵嬌兒惡卧踏裏裂

長枕大衾〔唐玄宗為長枕大衾與諸王同寢〕

席

席不暇暖〔韓文〕孔席不暇暖（數坐席未暖則往矣）孔子周流四方以行其教坐席未暖則往矣

席上之珍〔記〕儒行篇儒有席上之珍以待聘呂氏曰席上自貴而待價者也儒者講學于間燕従容乎席上而以自貴以待天下之用也強李以待問懷忠信以待問德之可貴者人必存者人必牽之力行可使者信可待也人必礼之李之傳者人必問之忠有所得而不求也此奉之力行可使君子之用于天下也此蓋魯衰公問孔子儒行孔子子答之如此鄭正居此卷之下後衣服類逢掖之衣之下

帳

斗帳紙帳流蘇〔海錄〕斗帳小帳也形如覆斗（福音）坡公紙帳詩絜似僧巾白氈（布音白氈毛布也南史高昌國有草實如繭其）中絲如細縷名曰白氈國人取以為布最白无軟以於蜜帳紫茸氈流蘇

十三

者乃盤線繪繡之毯。五色錯為之同心。而下垂者
錯相交錯也以五色線交錯而為之同心結也僬
遊錄流蘇乃盤帳之四隅
繫帳之四角所繫盤線云流蘇者古人
以為飾目

○酒杯類

金叵羅
叵音巨酒盃上
醉馬駄美姬婦人名
聲酒婆上姬婦人名
李白詩葡萄酒金叵羅吳姬十五

銀鑿落
金屑飾之銀含鑿落盞
以銀屑飾之
琵琶槽以銀鑿落者酒器也

書言故事〈卷之十二〉二十三

韓公聯句澤髮解塊鑿
澤音謀○澤髮少年潤
也見潤澤之髮也塊鑿首甲
解下兜顏傾鑿落人醉面赭楚詞美
鑿落酒器也人既醉顏赭朱顏
傾鑿落之盞而有酡顏也
白樂天詩金屑琵琶槽

○冠屨類

三加彌尊
賀人新冠
去聲下同曰恭審三加彌尊(禮記)冠
篇適音的子正室故冠於阼以著代也呂氏曰主人
子長子少北面西面將冠者即筵而冠其子所以著其
西面贊者莫于東序少北西面則傳之子所以傳付之
意也鑿爵弁三加彌尊始加緇布而服弁次加皮弁再
傳付之醮於賓位而無醴酢加爵弁三加彌尊亦所謂
人之敬也醮酒位也以醴賓之禮醮于戶西南所謂
所以為成也三加彌尊服加彌尊其禮彌至
是位與主人同在阼老則傳之子所以著其
傳者莫于東序少北西面將冠者即筵而冠其子所以著其
成者莫于阼以緇布冠而服弁次加皮弁冠
緇則待场也[釋注]冠而字之成人之道也必尊
名字是乃成人之道也冠而作醮於客位者遍于
于乃庶子則不然云也○古者冠禮初加緇布冠。

欲其尚顏。次加皮弁。欲其行三王之德。是益尊也。三加爵弁。欲其行敬事神明是彌尊也。

折角巾（後漢）郭林宗嘗於陳梁間行遇兩巾一角墊音店。○墊下也一角落也時人乃故折一角以為林宗巾其見慕如此

張入之
聲

漉酒巾陶潛每酒熟取頭上角巾漉酒也漉瀘畢。復著

履聲（前漢）鄭崇為尚常上書數上書諫上。上笑曰我識鄭尚書履聲也此與前第三卷訪客曰竮聽履聲

此大畧
下通看

杜詩聽履上星辰親近帝側亦如聞鄭崇杜甫上韋左相。言為相也。

書言故事　卷之十二

二十四

孺子取履張良遊下邳音披坯移上橋曰坯聽履聲。故曰辰星辰鞔履聲。故曰履土星辰遇老父墜履圯下。命良曰孺子取之。良取跪以授遂以姜太公共書授良用書之義佐漢高祖定天下別嬢疑曰瓜田不納履（古詩）瓜田不納

瓜田不納履（古詩）瓜田不納履納謂凡人過瓜田不可低頭不可上手整冠恐人疑是採其瓜也李下不整冠謂人至李樹下疑是摘其李子也

○衣服類

鶉衣貧人曰鶉衣百結子夏貧衣若懸鶉此與前七卷貧之類

○衣服類

逢掖之衣

儒服曰逢掖之衣〈禮記〉儒行篇　哀公問於孔
子曰夫子之服其儒服與〈音余〉公謂子曰
對曰丘少居魯衣逢掖之衣〈衣聲去聲〉長居宋冠章甫之冠　孔子

（孔子稱名曰丘少時居魯國衣儒者之衣服也。孔氏曰謂肘腋之所寬大也。故逢猶大也人大掖之衣也。曰逢猶大掖之袂禪衣也。毛廣謀曰衣深衣之裳也。席上之珍同篇此篇在前也大此與卷前器物類也。）

素衣化緇

洛多風塵素衣化為緇也〈緇黑〉　故質政化曰素衣化緇〈陸士衡詩京洛多風塵素衣化為緇〉切側持

書言故事　卷之十二　二十五

○金寶類

躍冶之金

躍曰我且必為鏌鋣〈鏌鋣劎名〉〈莊師篇〉大宗　大冶鑄金〈冶銷也天地為大金　冶造化為大冶　大冶必以為不祥之金　金踊〉

床頭金盡復來

〈古詩〉床頭黄金盡壮士無顔色　李白詩天生我材必有用千金散盡還復來

一金

〈前漢文帝紀〉十金中產之家　文帝嘗欲作露臺召匠計之直百金　帝曰百金中人十家之產何以臺為遂止故此言十金乃中芇一户之產　秦以一鎰為一金　王篇訓鎰漢以一斤為一金又

不疑償金

是非不辨曰不疑償金〈漢直不疑為郎其〉　云方廿為一金　一金一重〈音仲〉漢以一斤為一金　一金一斤為二十兩

不義贖金

一金一重斜一斤

來貢金畫鹼來

醫貢之金

春秋采山

重鑄之金

同舍有告歸者誤持同舍郎金去立覺亡。意不疑

不疑償之後告歸者來而歸金前郎大慙

隋珠彈鵲〔莊子〕

彈去声 得少声 烧上声 下同

失多曰隋珠彈鵲

讓王以隋侯之珠 隋侯見蛇被傷取藥封之蛇衔

明珠以報謝夜光烛空

彈千仞之鵲 七尺為一仞

之高而以隋珠彈之世必笑之何

也。所用重所要輕

待價而沽〔論語〕 子罕篇

待時而動曰待價而沽

美玉於斯韞 紒粉切 匵 讀音 而藏諸 藏也諸疑辞 求善

賈 音價 而沽諸 沽音沾 沽賣也言有美玉于斯合求善價而賣之乎 子曰沽

之哉沽之哉我待價者也

孔子言固當賣之但當待價而沽不當求之耳

青蚨〔搜神記〕

青蚨 音扶 常稱錢曰青蚨

不離生子草間如蚕取其子 讀母郎飛来以母血塗

錢八十一文 八十一者九九之数也个也 以子血塗錢八十一

文每市物或先用母錢或先用子錢皆復飛歸轮

如兄孔方家兄〔晋〕

環魚已

魯褒傷時貪鄙人貪愛錢 傷感當時之著錢親愛如身親愛如兄字曰

神論 去声 刺 音次 之其畧曰親之如兄 一如愛兄

孔方 去声 錢之表字曰孔方 立錢之眼孔四方也 又曰見我家兄莫敢仰

蓋謂其有錢而愧視悖之莫敢仰視也定曰錢無耳可使鬼乎令人

阿堵物

人惟錢而已

貪鄙故口不言錢(晉)王衍妻郭氏喜聚歛衍疾其

錢遠床使不得行衍早起見錢妻欲試之令婢以

物去阿堵中之物也以錢為眼中之物終不言錢也

通神

張延賞判度支延賞掌天下租賦物有獄

頗寃滯公召吏嚴戒明日案上有帖子

曰錢三萬貫乞勿問此獄公更怒促之明日復帖

子云十萬貫遂止不問所親慎之愛之人也戒慎

事吾懼禍及不得不止若要戒恐禍及不問其獄

○樂器類

琴　琵琶　簫　笛　鼓　鑼

　　瑟　笙　竽　笳　鐃

○辨樂

昔者舜帝彈五弦之琴操南風

之詩　其詩曰南風之薰兮可以

舞歌南風〔家語〕

之詩昔南風彈五弦琴歌南風之詩

解吾民之慍兮　南風之時兮

可以阜吾民之財兮

雍門鼓琴

（說苑）雍門周以琴見孟嘗君

孟嘗曰先生鼓琴能令（孟嘗乃田嬰之子名文）

雍曰千秋萬歲後墳墓已壞（平聲下同　臺上屋曰榭　墳墓已丁）

嬰兒豎子採者蹠躪其足而歌其上曰夫以（沉也　榭音謝）

孟嘗尊貴乃若是乎於是孟嘗淚（音玄上聲）

曰先生令文若破國亡邑之人（夫人以國破邑亡　為承臉）

之悲亦若此矣

相如琴心

（漢）司馬相如素與臨邛令王吉善（臨邛音蛩令）

富人卓王孫有女文君新寡好音故相如繆與令

重以琴心挑之於是文君夜奔相如（此郎詳見前第七卷貧之）

一倡三歎

（記）樂記篇　清廟之瑟

鼓清廟之瑟　詩之瑟　朱絃而疏越

疏通也越瑟底之孔也朱絃則練其弦一倡而三

故其聲濁濁則通其穴使其聲遲緩一倡謂一人唱而三

歎此聲初發一倡之時僅有三人從而和之　朱

以為三歎有遺音者矣然而其中則有不盡之餘

息非也　故曰有遺音者矣

類家徒壁

立之下

昭君怨

（前漢）王昭君初適單于（元帝竟寧元年匈奴呼韓邪單于來朝願婿漢）

以后宮王牆字昭君賜之

昭君而在路愁怨於馬上彈琵琶以寄恨

世謂之昭君怨（釋名）推吐面手前曰琵引手郤曰琶

玄琴 象中國樂部琴而為之

初 晉人以七絃琴 送高句麗 麗人雖知其為樂器 而不知其聲音及鼓之之法 購國人能識其音而鼓之者 厚賞 時第二相王山岳 存其本樣 頗改易其法制而造之 兼製一百餘曲 以奏之 於時玄鶴來舞 遂名玄鶴琴 後但云玄琴

羅古記云 新羅人沙湌恭永子玉寶高 入地理山雲上院 學琴五十年 自製新調三十曲 傳之於續命得 續命得傳之貴金先生

貴金先生亦入地理山不出 羅王恐琴道斷絕 謂伊湌允興 方便傳得其音 遂委南原公事 允興到官 簡聰明少年二人 曰安長清長 使詣山中傳學 先生教之 而其隱微不以傳也 允興與婦就之曰 吾王遣我南原者 無他欲傳先生之技 于今三年矣 先生有所秘而不傳 吾無以復命 允興捧酒 其婦執盞膝行 致禮盡誠 然後傳其所秘飄風等三曲

琵琶行

白居易左遷江州者曰左遷官 右為上下故敗官秋 為司馬

夜送客潯陽江頭聞舟中琵琶聲聞其人本長安

娼女善彈琵琶服于善才相 琵琶行之中有一句云 琵琶行之曲

曲既罷常使善才服言奏 罷常教善音言交

屈眼 [釋注] 教音交

花落色衰委身為賈人婦 古音

命再一曲為聲作琵琶行 去聲

於此不凡

謝安相晉室為王國賓所譖一日武帝召

桓伊宴飲安侍坐命伊撫箏伊撫而歌曰為君既

不易為臣良獨難忠信事不顯乃有見疑患 叶音還 音

桓伊隱然言謝安為臣有忠信之事為君者

則不能顯揚而信國實之總乃有見疑之患聲節

使君於此不凡帝有愧色

慷慨俯仰可觀安泣下霑襟越席將入聲其鬢曰 音樂

王喬吹笙

王子喬周靈王太子晉也好吹笙作鳳鳴

遊伊雒間道士浮丘公接以上嵩山 同洛

公以女弄玉妻 去声 馬 作吹笙感鳳來集一日隨鳳去

弄玉吹簫

秦穆公時蕭史善吹簫能致鳳凰作鳳鳴

公以女弄玉妻善吹簫史作鳳樓教弄玉

洞簫(赤壁賦)

蘇東坡與二客遊赤壁作此賦客有吹洞簫者 客有吹

遊赤壁作此賦客有吹洞簫者 客有吹

洞簫者簫之無底者名洞簫凡二十四管倚歌而和其音其 去声 依声 而和其音 其

夫妻皆去

名洞簫凡二十四管倚歌而和其音其

國寶不輕示

王喬化鳧

辛生去聖

茶具不凡

書言故事　卷之十一

公少好學　年二十四登進士第同年皆少年獨公三十餘

王喬為葉縣令有神術每月朔自縣詣臺朝帝怪其來數而不見

車騎密令太史候望之言其臨至時常有雙鳧從東南飛來因伏

伺見鳧舉羅張之但得一隻舄乃四年中所賜尚書官屬履也

辛生少好道術入嵩山石室中得秘書讀之其書言神仙變

化之事讀之不釋手忽有二人入室謂辛生曰爾竊觀

吾書將若之何生叩頭乞命二人曰此書不可妄示非其

人爾勿復言命再拜而退

晉室南渡衣冠避亂一曰左帝命樂人奏一曲竟一日左帝曰

此曲甚佳但不知是何曲也樂人本是西京教坊中人本是安

史之亂流落江南遂答曰此是安祿山破潼關后新翻一曲也

名曰得勝回朝歡樂之曲左帝聞之不勝慘然

聲鳴鳴然（声声之含咽而）如怨如慕（似怨望而有思慕者）如泣如

訴（似愁嘆而訴泣訴以悲）

桓伊三弄（弄々笛也）晉桓伊善音樂王徽之泊舟清溪素

不相識伊從岸上過徽之令人請之試為我奏伊

便下車據胡床三弄畢便上車客主不交一言

山陽聞笛（山陽縣名）晉向秀在山陰聞鄰人有吹笛者發

聲寥亮追想曩時嵇（音携）康（也）王（戎也）遊宴之好（從嵇康王戎遊宴感）

音而作思舊賦

胡笳十八拍 蔡琰字文姬（女也蔡伯喈女子後遭曹操贖回以）皆 先適河東衛仲道

書言故事 〈卷之十二〉 三十

夫凶漢末大亂為胡騎所獲（去声）遂作胡笳十八拍（此於）

嫁董祀……春月感笳音（笳胡人卷芦葉吹之胡人卷）

禰衡鼓吏（禰音迷）衡少有才名曹操欲見之（操欲見衡衡衡来見操）

不肯見操以其才不欲殺之聞衡善鼓召為鼓吏

會闕音鄭（之音而過于前）各施所能節奏于前諸吏過者令脫其故衣

更（音庚著音甘聲入）岑牟鍪（岑牟同鼓角正服也）單絞之服（單絞〈文王傳以自

軍樂 音樂之一部, 軍樂之用亦廣

會圍音樂...

不音島...

令人深省

深省向曉睡覺欲聞鐘聲使人心發于深省察焉

杜詩遊龍門奉先寺欲覺聞晨鐘令人發（音教）

星上

鯨音鐘聲

鯨音鐘聲曰鯨音（張衡西京記發鯨魚鏗華鐘鏗擊之使）鳴華謂鐘有簒文而華美者也（註海中大魚名鯨海島有獸名）

蒲牢海中山蒲牢畏鯨魚以擊蒲牢輒（音斤）大吼凡

鐘欲令聲大故作蒲牢所以擊之者為鯨魚有簒文

○燈火類

焚膏繼晷〔韓文〕

焚膏繼晷（進學解云焚膏油以繼晷日影也焚燕肥木油之光以）繼日晷刻之不及

燈花報喜〔漢樊噲〕

問陸賈曰自古人君受命於天（音快）

有瑞應（去聲）千賈曰目膲（如倫切又得酒食也倍云）瞤（音動）

眼跳燈花得錢財（音乾）鵲噪而行人至蜘蛛集而百

事喜小既有徵（兆也）大亦宜然（吉也）

【燭奴】
燭臺曰燭奴（天寶遺事）天宝唐明
刻童子執燭謂之燭奴
申王以檀木
至年號

【鑿壁偷光】
壁偷光以讀書
（漢）匡衡少 音紹
貧苦學（句）
至夜鄰家有燭鑿

【秉燭遊】
燭照紅粧
（古詩）晝短苦夜長何不秉燭遊（坡詩）高燒銀

【撥畫寒爐】
寒爐一夜灰
九不開滿身霜雪卻回未歸羞見妻兒面撥畫
呂蒙正少貧訪謁不遇有詩云十謁朱門

廿二

【回祿】
回祿被火災曰遭回祿（左）昭公
八年
寔回祿作玄冥真水神回祿火神是歲鄰國火
鄭子產禳火於玄

【殃及池魚】
殃及池魚
殃及池魚無故被禍云殃及池魚（風俗通）城門失火
有池仲魚城門失火殃及池魚
死諺云城門失火殃及池魚

○拾遺類

【扁額】
扁額牌榜曰扁額（鵑）音冠子
書名已見前第五家為
六卷德量類
隣二十五家為里四里為扁額則扁額之名原於此

【總管府】
揮塵（錄）主音 熙寧初宗神
熙宗神
部署為總管府 總管府
政部署為
政部署
避厚陵名也
英宗名署
故政部署
詔諸路馬步軍

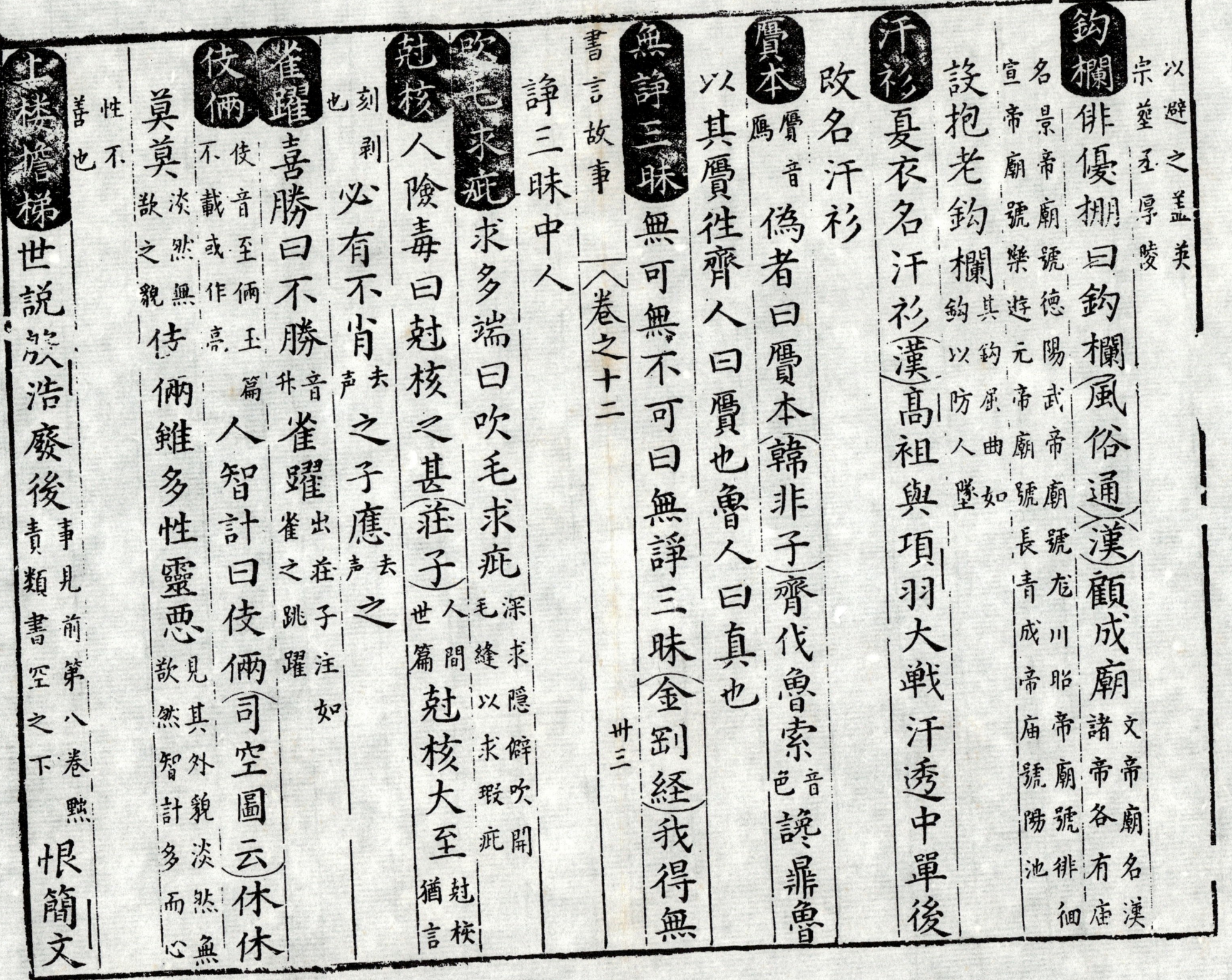

○鈎欄　俳優棚曰鈎欄　風俗通　漢　顧成廟諸帝各有廟
名景帝廟號德陽　武帝廟號龍川　昭帝廟號徘徊
宣帝廟號樂遊　元帝廟號長青　成帝廟號陽池

設抱老鈎欄　鈎以防人墜　其鈎屈曲如

○汗衫　夏衣名汗衫　漢　高祖與項羽大戰汗透中單後
攺名汗衫

○贋本　贋音　偽者曰贋本　韓非子　齊伐魯索
　　　　　　　鼎魯讒
　　　　　色音
以其贋往　齊人曰贋也　魯人曰真也

○無諍三昧　無可無不可曰無諍三昧　金剛經　我得無
諍三昧中人

書言故事　〈卷之十二〉
　　　　　　卅三

○吹毛求疵　求多端曰吹毛求疵　深求隱僻吹開
毛縫以求瑕疵

○尅核　人陰毒曰尅核之甚　莊子　世間人
刻剝　　　　　　　　　　　　尅核大至　猶言
必有不肖之子應之　　　　　　尅核
　去声

○雀躍　喜勝曰不勝雀躍　雀之跳躍如
升音至俩　　　　　　　　　　莊子注如
　音去声

○伎俩　人智計曰伎俩　司空圖云休休
伎音至俩　　　　　　　　　　伎俩雖多性靈惡
不載或作亮　王篇　　　　　　見其外貌淡然無心智計多而心

○上樓撤梯　世説　敬浩廢後責類書空之下　恨簡文
莫莫歎之貌　莫淡然無　　事見前第八卷黙
性不善也

齆糟鄙俚 祺

齆音
俗言齷齪　齷音
齷齪入声　齆糟鄙俚相近声

東坡戲程頤曰頤可謂齆糟鄙俚叔孫通聞者笑
笑坡之失言也哲宗廟坡順俱在經筵坡喜戲
之謔而頤以礼法自持坡每廟侮之二人遂成隙
分黨相坡
皆遭貶

書言故事大全卷之十二終

書言故事

卷之十二

卅四

書言故事

世所稱淵鉅之學詎不貴於博綜弘覽哉然古今之事浩瀚汪洋不有以紀載以考索而無徵不有以類聚則渙散而無統其所

資於儒先彙纂之書小淺鮮也故宋廬陵胡先生搜獵經傳採摘故實分門別類著為一書名曰書言故事其間為天文人事之際地理時令之紀彝倫典常之道下

祝五史之流礼樂刑政之具宫室

臺榭之類山林川澤之屬昆蟲草

木之物靡不畢載信藝林之山海

錄内穎而中人函學必以迹求以斯

而學圃之梯航也夫宗工鉅匠圖

集也豈徒斠廉手教信可為操

舩之一耶又幸我

國朝名公重加標題薰以音釋俾

後學一披閲間端緒易求疑義不

滯所憾屢經翻刻種〻訛舛余不

敏迩於遊藝之暇特取校讐命

之繡梓亟徒廣惠同志亦以亮

夫魯魚亥承之美諤云耳

　　嘗

萬曆拾柒年春月之吉新安

休邑南山汲學吳懷保撰并書